Für Natasha, Sabrina und Jasmine J.D.

www.beltz.de

in der Verlagsgruppe Beltz · Weinheim Basel

Die Originalausgabe erschien unter dem Titel
Room on the Broom
bei Macmillan Children's Books, London

Gesetzt nach der neuen Rechtschreibung
Satz: MediaPartner Satz- und Reprotechnik GmbH, Hemsbach
Printed in Belgium
ISBN 978-3-407-79282-2
10 11 12 13 12 11 10 09

Axel Scheffler · Julia Donaldson

Für Hund und Katz ist auch noch Platz

Aus dem Englischen von Mirjam Pressler

Seht, wie sie fliegen
hoch über der Welt,
die Katze, sie schnurrt,
und der Hund, er bellt.
Und die Hexe lacht wieder
und hält ihren Hut.
Der Wind nimmt die Schleife,
und das ist nicht gut.

Was kommt da geflogen,
was ist denn das?
Ein Vogel, ein Vogel,
so grün wie das Gras.
Er bringt der Hexe die Schleife zurück.
Was für ein Glück!

»Stopp, halt!«, ruft die Hexe
mit bösem Gesicht.
Sie suchen die Schleife
und finden sie nicht.

»Kein Vogel«, so sagt er,
»ist so grün wie ich.
Habt ihr noch Platz
für ein Tier wie mich
auf dem Besenstiel?
Ich brauch ja nicht viel.«

Die Hexe ruft: »Ja,
du kommst noch dazu!«
Ein Schlag mit dem Zauberstab
und los geht's, juhu!

Es geht über Flüsse,
es geht über Seen,
sogar wenn es regnet,
die Welt ist so schön.
Was für ein Wind,
wie schnell sie sind!
Die Hexe kann die Schleife noch fassen,
den Zauberstab musste sie fallen lassen.

»Stopp, halt!«, ruft die Hexe
mit bösem Gesicht.
Sie suchen den Stab
und finden ihn nicht.

Dann quakt es laut im grünen Gras
direkt am Teich.
Wer ist denn das?
Ein tropfnasser Frosch
mit dem tropfnassen Stab.
»Ich hab ihn gefunden«, sagt er, »quak – quak.
Kein Frosch im Teich ist so sauber wie ich.
Habt ihr noch Platz
für ein Tier wie mich
auf dem Besenstiel?
Ich brauch ja nicht viel.«
Die Hexe ruft: »Ja,
der Frosch kommt dazu!«
Ein Schlag mit dem Zauberstab

und los geht's, juhu!
Sie lachen und singen
und sausen und fliegen,
der Frosch macht ein Sätzchen
vor lauter Vergnügen.
Doch dann, ein Schrei ...

… DER BESEN, DER BESEN ER BRICHT ENTZWEI!

Der Frosch und die Katze, der Vogel,
der Hund,
sie taumeln vom Besen hinunter zum Grund,
versinken schnell mit Stiel und Stumpf
in einem Sumpf.

Die Hexe kann auch nicht mehr
richtig fliegen,
mit halbem Stiel, das ist kein Vergnügen.
Da tönt es auf einmal wie Donnergetöse
sehr laut und sehr böse …

»Ich bin ein Drache,
der schlimmste von allen,
und ich habe Hunger, ich will dich fressen,
will Hexe mit Pommes zum Abendessen.«
»Nein!«, schreit die Hexe,
es verlässt sie der Mut.
Der Drache kommt näher,
spuckt Feuer und Glut.
Die Hexe, sie denkt, es ist aus und vorbei,
sie öffnet den Mund und heraus kommt
ein Schrei:
»Zu Hilfe, wer hilft mir in meiner Not?

Gleich frisst mich der Drache zum Abendbrot.«
Der Drache kommt näher,
schmatzt gierig, sagt nur:
»Vielleicht ess ich heute mal Hexe pur.«

Doch als er gerade anfangen will,
zu seinem Festmahl fehlt ihm nicht viel,
da steigt aus dem Sumpf ein Ungeheuer,
schlimmer als Schwefel
und schlimmer als Feuer,
mit Federn und Fell,
mit Gemaunz und Gebell,
vierköpfig und schmutzig,
nicht lieb und nicht putzig.
Eine Stimme hat es,
noch schlimmer als schlimmer,
es hört sich an
wie Geistergewimmer.
»Du Drache, hau ab«,
brüllt das schreckliche Tier.
»Die Hexe, die Hexe,
die Hex gehört MIR!«

Der Drache weicht rückwärts,
und Schweiß bricht ihm aus.
Schnell sagt er: »Da ist er, dein Hexenschmaus.
War nett, dich zu treffen,
doch jetzt tut's mir Leid,
ich muss ganz schnell weiter,
es ist höchste Zeit.«
Das Untier zerfällt nun, Stück für Stück,
in zwei ... drei ... vier Tiere, was für ein Glück!

Die Hexe, sie weint, die Hexe, sie lacht.
»Ihr Lieben, ihr habt mich
so glücklich gemacht.
Ich bin euch so dankbar,
ich kann's gar nicht sagen.
Ohne euch wär ich jetzt schon
im Drachenmagen.«

Nun füllt sie ihren Kessel voll
und sagt zu den andern:
»Wenn's gut werden soll,
werft auch etwas rein,
eine Blume, zwei Zapfen,
einen Zweig, einen Knochen,
dann muss alles kochen.«

Die Hexe rührt im Zauberbrei
und sagt den Zauberspruch dabei:
»Schwuppdiwupp Kartoffelsupp,
abrakadabra und ei der Daus …

… was kommt heraus?«

EIN SUPERTOLLER BESENSTIEL!

Der allertollste Hexenbesen,
so ist noch nie ein Besen gewesen,
ein Superluxushexengefährt,
bewundernswert!

»Ja«, ruft die Hexe. »Hopp und los,
die Welt ist schön, die Welt ist groß.
Am schönsten aber ist das Fliegen!
Achtung, fertig, aufgestiegen.«